$8

MISSION: ADOPTION

RASCAL

Fais connaissance avec les chiots
de la collection *Mission : Adoption*

Cannelle
Boule de neige
Réglisse
Carlo
Biscuit
Margot
Théo
Glaçon
Rascal

MISSION : ADOPTION

RASCAL

Texte français de Laurence Baulande

Éditions
SCHOLASTIC

Pour Jaime

Catalogage avant publication de Bibliothèque et Archives Canada
Miles, Ellen
Rascal / Ellen Miles ; texte français de Laurence Baulande.

(Mission, adoption)
Traduction de l'ouvrage anglais du même titre.
Niveau d'intérêt selon l'âge: Pour les 7-10 ans.
ISBN 978-0-545-98713-4

I. Baulande, Laurence II. Titre. III. Collection : Miles, Ellen.
Mission, adoption.
PZ23.M545Ra 2009 j813'.6 C2008-906700-2
Illustration de la couverture : Tim O'Brien
Conception graphique : Steve Scott

Édition publiée par les Éditions Scholastic,
604, rue King Ouest, Toronto (Ontario) M5V 1E1.
5 4 3 2 1 Imprimé au Canada 09 10 11 12 13

[1] L'estimation des effets sur l'environnement a été faite au moyen du calculateur «Environmental Defense Paper Calculator».

CHAPITRE UN

– Tu n'as pas peur? demanda Charles. Moi, à ta place, j'aurais très, très peur. Les chevaux sont tellement gros. Ils sont énormes! En plus, ils pourraient te mordre.

Rosalie éclata de rire. Son petit frère avait des idées vraiment bizarres parfois. C'était souvent le cas chez les deuxièmes années. Rosalie, elle, était en quatrième année et savait beaucoup plus de choses.

– Les chevaux ne mordent pas, dit-elle.

Charles hocha la tête.

– Si, ils mordent! La maman de Sammy m'a dit qu'un cheval l'avait mordue un jour alors qu'elle lui donnait une carotte.

– C'est vrai? demanda Rosalie en cessant de regarder par la fenêtre du salon pour se concentrer sur son frère. Elle a réellement été mordue par un cheval?

Rosalie n'aimait pas tellement cette histoire.

– Mais les chevaux ne mangent pas de viande, continua-t-elle, ils sont végétariens.

– Les tricératops aussi étaient végétariens et pourtant je n'aurais pas voulu qu'ils me mordent, répondit Charles.

Rosalie approuva de la tête. Charles avait marqué un point.

– De toute façon, dit Rosalie, je n'ai pas peur.

Mais ce n'était pas vrai.

Depuis que sa meilleure amie, Maria, l'avait convaincue de venir avec elle prendre une leçon d'équitation le samedi suivant, elle avait redouté cette sortie. Et samedi était finalement arrivé.

Rosalie s'intéressait aux animaux depuis toujours. Ses préférés étaient les chiens, mais elles trouvaient tous les animaux merveilleux. Pingouins, moutons, tigres, pandas, et même les iguanes, elle les aimait tous! Elle voulait tout savoir sur eux, se plaisait à les dessiner ou à les admirer dans des zoos ou des émissions sur la nature. Tout le monde savait que Rosalie Fortin adorait les animaux. Mais ce que les gens ne savaient pas, c'est qu'il y avait un animal qui lui faisait secrètement peur : le cheval.

Quant aux chiens, elle aimait s'occuper d'eux, jouer avec eux et les éduquer. Charles et elle rêvaient d'avoir un chien bien à eux, mais pour l'instant, ils n'avaient pas réussi à convaincre leurs parents. En tout cas, pas pour un chien à temps plein.

En effet, les Fortin étaient désormais une famille d'accueil pour chiots. Ils prenaient soin d'eux jusqu'à ce qu'ils leur trouvent la famille idéale. Les Fortin avaient déjà accueilli trois chiots, et Charles et Rosalie étaient tombés amoureux de chacun d'eux.

C'était beaucoup de travail de s'occuper de petits chiots, mais ils étaient tellement mignons! Rosalie pouvait jouer avec eux pendant des heures et ne se fâchait jamais si l'un d'eux la mordait avec ses petites dents pointues.

Mais un cheval?

C'était une tout autre histoire.

Charles avait raison. Les chevaux étaient très grands. Un cheval ne pouvait pas se rouler en boule et s'installer sur tes genoux, comme un chiot. Tu ne pouvais jamais *savoir* ce qu'un cheval allait faire.

Il pouvait te donner un coup de pied, ou un coup de tête ou encore... te mordre.

Rosalie frissonna. Elle regarda de nouveau par la fenêtre, guettant l'auto bleue du père de Maria. Ils allaient arriver d'une minute à l'autre pour l'emmener au centre équestre. Maria était tellement contente que Rosalie vienne enfin au centre. Elle *adorait* les chevaux et faisait de l'équitation depuis qu'elle avait trois ans. Elle avait même un équipement complet : les bottes, ce pantalon d'une drôle de forme qui s'appelle un jodhpur, et le casque.

– Mes parents ne seront jamais d'accord pour m'acheter tout ça juste pour une leçon, avait dit Rosalie à son amie en espérant ainsi échapper à la sortie.

Mais sans succès.

– Pas de problème, avait répondu Maria. Tu peux porter un jean et des espadrilles. Cathy demande simplement que tout le monde porte un casque, mais comme j'en ai deux, je peux t'en prêter un.

Cathy était la monitrice d'équitation de Maria. Avec son mari François, elle dirigeait le centre équestre et vivait dans une maison à côté. Rosalie entendait parler de Cathy depuis des semaines : d'après Maria, c'était une personne formidable, qui connaissait tout sur les chevaux et était une super monitrice. Maria était *sûre* que Rosalie allait adorer Cathy, le centre équestre, et les chevaux, autant qu'elle.

Rosalie n'en était pas aussi certaine. Mais elle avait décidé que le seul moyen de se débarrasser de sa peur était de l'affronter, ce qui voulait dire accompagner Maria au centre équestre, faire la connaissance de Cathy, et – *oups* – monter à cheval.

Chaque fois qu'elle y pensait, ses mains devenaient moites et son cœur s'emballait.

– Tout va bien, ma chouette? demanda sa mère qui traversait le salon à la poursuite du Haricot, le frère cadet de Rosalie.

Le Haricot (dont le vrai nom était Adam, mais personne ne l'appelait comme ça) aimait faire semblant d'être un chien. Pour l'instant, il avait un jouet en peluche dans la bouche et traversait la pièce en rampant à toute vitesse. Il jouait à empêcher sa mère d'attraper son jouet. Mme Fortin s'arrêta et jeta un regard curieux à Rosalie.

– Tu dois être très excitée par cette sortie au centre équestre, dit-elle.

– Oui, plus ou moins, répondit Rosalie en haussant les épaules.

– Tu es courageuse, ajouta son père qui venait d'entrer dans le salon avec le journal à la main, celui pour lequel travaillait sa mère. Il s'assit sur le sofa.

– Personnellement, j'ai toujours eu un peu peur des chevaux. Ils sont tellement grands.

Charles s'approcha pour taper dans la main de son père.

– C'est exactement ce que je lui ai dit! lança le garçon.

Rosalie regarda fixement son père. C'était un adulte, un pompier! Elle n'avait jamais imaginé qu'il pouvait avoir peur de quoi que ce soit, encore moins d'un cheval. Si *lui*, avait peur...

Pendant une seconde, Rosalie pensa à annuler sa sortie. Tout ce qu'elle avait à faire, c'était d'admettre qu'elle était terrifiée. Ses parents ne la laisseraient jamais faire quelque chose qui lui faisait si peur.

À ce moment-là, elle entendit une auto qui arrivait dans l'allée.

– Ça doit être Maria, dit la jeune fille.

Il était trop tard pour changer d'avis. Elle devait y aller. Mais en se dirigeant vers la porte d'entrée, elle entendit un chien qui aboyait. C'était un aboiement perçant et très aigu.

– Ce n'est pas Simba, dit Rosalie.

La mère de Maria était aveugle et Simba était le nom de son chien-guide. C'était un grand Labrador jaune très calme qui n'aboyait quasiment jamais.

Rosalie ouvrit la porte et vit une auto dans l'allée. Mais elle n'était pas bleue, elle était verte. Une femme sortit de l'auto. Dans une main, elle avait un sachet de croquettes pour chiens. Dans l'autre, elle tenait une laisse de cuir rouge. Et au bout de la laisse, il y avait un petit chiot adorable, blanc avec des taches noires et rousses. Il sautait en l'air comme si ses quatre pattes étaient des ressorts. *Bing! Bing!* Et il aboyait de toutes ses forces.

Toute la famille Fortin avait rejoint Rosalie maintenant, et ils fixaient le petit chiot.

– S'il vous plaît, dit la femme, vous devez m'aider.

CHAPITRE DEUX

– C'est Marie-Claire, on travaille ensemble, dit Mme Fortin. Mais Marie-Claire, qu'est-ce qui...

– Ce n'est plus possible, dit la jeune femme. On a essayé, on a vraiment essayé, mais on ne peut pas s'occuper de ce chien.

Elle devait crier pour se faire entendre par-dessus les aboiements.

Au même moment, un bébé à l'arrière de l'auto commença à pleurer, et les deux petits enfants blonds assis à côté de lui se mirent à crier « maman, maman! »

Rosalie prit la laisse des mains de la jeune femme.

– Viens ici, petit chien, dit-elle en se penchant pour prendre le chiot tout excité dans ses bras. Calme-toi, calme-toi, tu fais des bêtises.

Je veux descendre! Je veux descendre! Je veux descendre! Le chiot se tortillait en aboyant. À quoi ça servait d'être dans une nouvelle maison si on ne pouvait pas l'explorer? Bon, OK, s'il ne pouvait pas explorer les environs, il pouvait au moins se faire une nouvelle amie!

Le chiot lutta encore un peu, puis il eut l'air de décider que, finalement, il aimait bien être dans les bras de Rosalie. Il aboya encore deux ou trois fois, puis entreprit de lécher le visage de la jeune fille. Il commença par son menton et remonta ensuite vers son visage, léchant même l'intérieur de ses narines, ce qui chatouilla Rosalie et la fit rire. Ce petit chien aimait beaucoup se faire de nouveaux amis!

Marie-Claire adressa un sourire reconnaissant à Rosalie, puis se tourna vers ses enfants.

– Tout va bien, les garçons, dit-elle. Les Fortin vont bien s'occuper de Rascal.

Elle déboucla la ceinture des deux grands pour qu'ils puissent sortir de la voiture, et sortit le bébé de son petit siège.

– Rascal! Rosalie aimait beaucoup ce nom. C'était parfait pour un chiot aussi énergique.

Mme Fortin s'approcha pour serrer Marie-Claire contre elle.

– Marie-Claire travaille avec moi au journal, expliqua-t-elle. Elle est correctrice d'épreuves, c'est-à-dire qu'elle traque toutes les fautes dans mes articles.

Maintenant, Charles avait rejoint sa sœur et caressait le poil un peu rêche du chiot.

– C'est un chien de quelle race? demanda-t-il.

– C'est un Jack Russel Terrier, répondirent en même temps Rosalie et Marie-Claire.

Rosalie avait identifié la race du chien au premier regard. Rascal ressemblait trait pour trait au Jack Russel de son affiche intitulée « les Races de chiens dans le monde » : il était petit et musclé avec une queue courte et épaisse. Il avait des oreilles d'abord droites, puis tombantes, un petit museau noir et pointu, et des yeux noirs brillants. Il était curieux et très actif.

Marie-Claire regarda Rosalie en hochant la tête.

– Ah, je vois que tu connais ce genre de chiens. Moi, je n'en avais jamais entendu parler jusqu'à ce que mes enfants en voient un dans un film. Ensuite, ils ont insisté et insisté pour avoir un Jack Russel. Ils trouvaient que c'était le plus beau chien du monde.

– Les Jack Russel sont vraiment adorables, c'est sûr, approuva Rosalie.

– Alors, nous sommes allés dans une animalerie et nous en avons acheté un, continua Marie-Claire. Il avait l'air d'être le plus gentil de la portée.

– Dans une animalerie? répéta Rosalie.

Elle savait qu'une animalerie n'était pas le meilleur endroit pour acheter un chiot. Chez un éleveur ou dans un refuge, on l'aurait davantage conseillé et on lui aurait parlé du caractère des Jack Russel. Ce chien était une vraie petite boule d'énergie!

Marie-Claire fit signe que oui.

– Je sais, ce n'était sans doute pas très intelligent de ma part, mais les enfants ne me lâchaient pas.

– Quel âge a Rascal? demanda Charles.

– À peu près six mois, répondit Marie-Claire.

Maintenant, Rascal avait envie de descendre. Il agitait tellement les pattes que Rosalie finit par le déposer par terre. Il courut droit vers une plate-bande et attaqua une tulipe rouge tout en tirant Rosalie derrière lui.

– Hé! cria Mme Fortin. Rosalie, empêche-le d'aller dans les fleurs.

Rosalie tira sur la laisse, mais Rascal l'ignora. Il attaqua une tulipe jaune, puis une autre tulipe rouge. Il était tellement drôle que tout le monde le regarda faire pendant quelques minutes en riant. Puis, finalement, Rosalie le prit dans ses bras et le déposa loin des fleurs.

Hé! C'est quoi le problème? Je m'amusais bien, moi! Rascal fit trois tours complets vers la gauche, trois tours complets vers la droite, et enfin plusieurs bonds en l'air sans jamais cesser d'aboyer. Quand il eut terminé, il avait complètement oublié les tulipes. Youpi! L'herbe était douce sous ses pieds. La vie était trop belle.

– En tout cas, c'est un petit chien très gentil avec les gens et toujours content. Mais il n'arrête pas de faire des bêtises, dit Marie-Claire. Il aboie, il saute sur les meubles, il court après le chat du voisin, il mâchouille tout et il n'écoute rien de ce qu'on lui dit.

Elle remit en place le bébé sur sa hanche.

– Je n'arrive pas à m'occuper de lui, pas avec mes trois enfants.

– On le prend! dit Charles, agenouillé près de Rascal.

Rosalie tenait la laisse et Charles essayait de lui faire donner la patte.

– Hé! Un instant, mon garçon, dit Mme Fortin. Je n'en suis pas si sûre.

– Mais vous avez bien trouvé de nouveaux foyers pour d'autres chiots, non? intervint Marie-Claire. J'espérais que vous pourriez faire la même chose pour Rascal.

– Dis oui, maman, s'il te plaît! dit Rosalie. On ne le gardera pas pour toujours. On sera juste sa famille d'accueil le temps de lui trouver de nouveaux maîtres.

Elle regarda le petit Jack Russel qui mâchouillait les lacets de Charles. C'était vraiment un petit chien très mignon. En général, Rosalie aimait les chiens plus gros, mais Rascal était tellement drôle, même s'il avait l'air d'avoir beaucoup de mauvaises habitudes.

– Je suis sûre qu'avec un peu d'entraînement, il s'améliorera, ajouta-t-elle.

– Les enfants ont fait un travail formidable avec les

autres chiots que nous avons accueillis, rappela M. Fortin.

– Je sais, répondit Mme Fortin. Mais ce chiot a l'air vraiment difficile.

– Il est propre, intervint Marie-Claire. Il n'a *jamais* d'accident dans la maison.

– Tu vois, maman? C'est un petit chien intelligent, dit Rosalie. Il apprendra vite. Il a juste besoin de plus d'attention que Marie-Claire ne peut lui en donner.

– Bon, dit Mme Fortin lentement. Si vous vous sentez vraiment prêts à vous occuper de ce chien...

– Hourra! s'écrièrent ensemble Charles et Rosalie.

Rascal bondit sur ses pieds et se mit à courir autour d'eux en aboyant.

Juste à ce moment-là, une voiture bleue s'engagea dans l'allée.

– Maria! cria Rosalie.

Elle avait complètement oublié sa leçon d'équitation, mais maintenant, elle avait une excuse parfaite pour l'annuler. Elle devait rester à la maison pour s'occuper du nouveau chiot.

Rascal, le chiot aux mille bêtises, était arrivé juste au bon moment.

CHAPITRE TROIS

Rosalie avait lu récemment que c'était une bonne idée de tenir un journal d'entraînement pour les chiens, alors elle décida d'en commencer un pour Rascal.

Journal d'entraînement : Rascal
Premier jour : samedi
Rascal est arrivé aujourd'hui. C'est
un chiot plein d'énergie! Après cinq minutes à l'intérieur de la maison, maman nous a suppliés de le sortir. Sammy est venu nous aider à trouver la meilleure manière de faire changer Rascal.

– Alors, c'est lui le nouveau chiot?

Sammy regardait Rascal courir à toute vitesse dans la cour, aboyant à droite et à gauche sans raison précise. Sammy, le meilleur ami de Charles, vivait dans la maison à côté de celle des Fortin.

– Heureusement que je n'ai pas emmené Rufus et Cannelle, ajouta le garçon. Je vois que vous êtes déjà bien occupés...

Rufus était un Golden Retriever assez âgé. Cannelle était aussi une Golden Retriever, mais plus jeune. C'était le premier chiot que les Fortin avaient accueilli chez eux. Ça avait été vraiment très dur de la laisser partir, mais heureusement, elle habitait maintenant tout à côté.

– Je ne sais pas, soupira Rosalie. Peut-être qu'ils auraient eu une bonne influence sur Rascal. Il n'obéit absolument pas!

Rosalie savait beaucoup de choses sur les différentes méthodes utilisées pour éduquer les chiens – elle avait appris cela en naviguant sur l'Internet, en lisant des livres et en discutant avec des éducateurs canins – mais elle n'était pas du tout sûre que cela suffirait avec Rascal. Ce chiot n'en faisait qu'à sa tête et avait autant d'énergie qu'une *meute* entière de chiens.

– C'est sûr que maman n'était pas très contente quand il a sauté sur le sofa, dit Charles.

– et que de là, il a sauté sur la

table du salon, ajouta Rosalie. Je pense que ses pattes n'ont même pas touché le sol une seule fois.

Rascal se demandait pourquoi personne ne le pourchassait. C'était amusant de faire des cercles en courant, mais c'était encore plus amusant quand quelqu'un le poursuivait. Il poussa encore quelques aboiements. Pourquoi les enfants ne jouaient-ils pas avec lui?

Rascal courut droit vers Rosalie, puis s'éloigna en regardant par-dessus son épaule.

– Il veut que je le poursuive, commenta Rosalie, mais il n'est pas question que j'aille jouer avec lui. Il doit apprendre que la meilleure manière d'attirer mon attention est de venir s'asseoir tranquillement à côté de moi.

– Parce que tu crois qu'il en sera capable un jour! s'exclama Charles.

– Peut-être, si nous attendons assez longtemps, répondit sa sœur. Et s'il le fait, il aura un biscuit.

Elle montra à Charles et Sammy les biscuits pour chiens qu'elle avait dans la poche.

– Ça s'appelle du renforcement positif. S'il fait

quelque chose de bien, il reçoit une friandise. D'après ce que j'ai lu, ça marche mieux que de lui crier des ordres.

– Hé! dit Charles. Peut-être qu'on devrait parler à maman de cette technique. Si elle me donnait de la crème glacée quand j'ai fini mes devoirs, je les terminerais sans doute plus rapidement.

– Je pense que ma mère utilise cette méthode, dit Sammy. Elle m'a promis un nouveau gant de base-ball si je rangeais ma chambre pendant un mois.

Pendant qu'ils étaient en train de discuter, Rascal avait cessé d'aboyer et de courir dans la cour. Rosalie voyait que le chiot l'observait, mais elle faisait semblant de ne pas le remarquer. Rascal s'approcha, les oreilles dressées. Elle continua à faire semblant de ne pas le voir. Finalement, il s'assit à côté d'elle.

– Bon chien! s'exclama Rosalie.

Elle lui lança un biscuit pour chiens. Rascal bondit, l'attrapa au vol et l'avala d'un seul coup. Puis il repartit à la course à toute vitesse.

– OK, dit Rosalie en riant et en secouant la tête. Au moins, c'est un début.

Journal d'entraînement : Rascal

Deuxième jour : dimanche
Voici une liste incomplète des choses que Rascal a mâchouillé ces 24 dernières heures depuis qu'il vit chez nous.
Les lanières du sac à dos de Charles
Les gants de travail préférés de papa
(gant droit totalement détruit, gant gauche encore portable, mais il manque le pouce)
Le livre de math de Rosalie
(pas une grande perte à mon avis)
La couverture jaune du Haricot
Les nouvelles sandales de maman

Rosalie aurait pu ajouter d'autres choses à sa liste, mais c'était trop décourageant. L'habitude qu'avait Rascal de tout mâchouiller dans la maison était un vrai problème. Le dimanche matin, après que Mme Fortin avait trouvé ses sandales, ou plutôt ce qui restait de ses sandales, dans la salle de bains, Rosalie avait fait quelques recherches sur l'Internet. Comment apprenait-on à un chiot à ne plus mâchouiller?

La première chose à faire avait lu Rosalie était de l'empêcher d'avoir accès aux objets à mâchouiller.

Après le dîner, Charles, M. Fortin et elle avaient fermé la cuisine avec l'ancienne barrière de sécurité pour bébé du Haricot. Désormais Rascal ne pourrait plus sortir de la cuisine. Et comme il ne pourrait plus explorer la maison, il aurait moins de chance de trouver des choses à mâchouiller.

– En plus, comme ça, il ne pourra plus sauter sur les meubles, dit Charles à sa sœur. Rascal les regardait de la cuisine. Il gémissait et aboyait tout en sautant en l'air.

Rosalie avait aussi lu que c'était une bonne idée de donner aux chiots des jouets à mâchouiller conçus pour leurs petites dents pointues. Elle lança à Rascal un os en cuir. Le Jack Russel se précipita dessus et s'installa sous la table de la cuisine pour le ronger.

Si seulement ils lui avaient donné cet os délicieux dès le départ, pensa-t-il. C'était bien, bien mieux que toutes les choses qu'il avait essayé de manger jusque-là. Et cet os, personne ne le lui prendrait. Il était en sécurité dans la cuisine grâce à la barrière. La vie était belle.

Rosalie regarda Rascal qui mâchait son os et secoua la tête. Elle n'avait jamais imaginé qu'elle rencontrerait un jour un chien qu'elle ne pourrait pas éduquer. Mais Rascal était tout un défi.

CHAPITRE QUATRE

– Rascal a l'air vraiment difficile, dit Maria en offrant un biscuit aux figues de sa boîte à lunch à Rosalie.

– Oui, c'est vrai, répondit Rosalie. Elle prit le biscuit, commença à en grignoter les bords, et soupira.

– Je déteste l'admettre, mais je ne sais plus trop quoi faire avec lui maintenant, continua-t-elle.

Rosalie avait déjà abandonné son projet de journal d'entraînement. C'était trop frustrant de devoir décrire toutes les bêtises du petit Jack Russel. S'occuper de Rascal était un travail à temps plein. Elle ne l'avait que depuis deux jours et elle était déjà épuisée. C'était presque des vacances d'être à l'école.

– Peut-être que tu as juste besoin d'une petite pause, dit Maria. J'ai une leçon d'équitation cet après-midi. Je suis sûre que Cathy trouverait de la place pour toi si tu avais envie de venir.

Rosalie secoua la tête et avala les dernières miettes de son biscuit.

– Je ne peux pas, répondit-elle en refermant sa boîte à lunch. Nous avons inscrit Rascal à une maternelle pour chiots et il commence aujourd'hui.

– Une maternelle pour chiots? répéta Maria en riant. Qu'y apprennent-ils? À faire de la peinture à doigts et à jouer avec des blocs de construction?

Rosalie glousa de rire en imaginant les chiots en train de mettre de la peinture à doigts partout. Ou alors, fallait-il parler de peinture à pattes? En tout cas, ce serait un beau désastre!

– Non, c'est juste des cours pour apprendre aux chiots les règles d'obéissance de base, comme s'asseoir et marcher en laisse. Ils apprennent aussi à socialiser avec d'autres chiots. Cela devrait être très drôle.

Et ça s'annonçait vraiment bien quand Charles et Rosalie arrivèrent au centre récréatif de Saint-Jean où se trouvait la maternelle pour chiens. Leur père les avait déposés en auto et avait promis de revenir à temps pour voir les dix dernières minutes du cours.

Rascal tira fort sur sa laisse en entendant les chiens aboyer à l'intérieur, ce qui obligea presque Charles à courir.

– Hé! cria Charles. Du calme!

– On dirait que quelqu'un ici a besoin d'apprendre à marcher en laisse, dit une étudiante qui arrivait en même temps.

Elle leur tendit la main.

– Je suis Juliette, l'éducatrice. Et lui, c'est...

– Rascal, répondit Rosalie. Nous l'avons inscrit hier. Nous l'avons depuis deux jours seulement.

– Ah oui, vous êtes la famille d'accueil pour chiots, Charles et Rosalie Fortin, c'est ça? J'ai beaucoup entendu parler de vous. On m'a dit qu'un de vos chiots allait devenir un chien-guide pour aveugles, c'est vrai?

Charles et Rosalie échangèrent un regard. Leur famille était célèbre! Incroyable! Rosalie hocha la tête.

– Oui, c'est Réglisse, répondit-elle. Le dernier petit chiot que nous avons accueilli.

– C'est génial! dit Juliette. Bravo.

Elle ouvrit la porte du gymnase et les aboiements se firent plus fort.

– Oh! s'exclama Rosalie en découvrant les chiots qui étaient là. Il y en avait six, non, sept, huit! Ils couraient, se roulaient par terre, luttaient et se mordillaient les uns les autres. Un minuscule teckel brun était en train de faire pipi dans un coin pendant que son maître discutait avec la maîtresse d'un bébé bouledogue.

– Oups, dit Rosalie en montrant le dégât.

Juliette haussa les épaules et sortit un rouleau d'essuie-tout de son grand sac fourre-tout.

– Ça fait partie des classes de maternelles pour chiots, dit l'éducatrice.

– Vous pouvez enlever la laisse à Rascal, ajouta-t-elle en nettoyant le dégât. Nous gardons la porte fermée pour que les chiots puissent jouer en toute sécurité au début. Cela leur permet de dépenser un peu de leur énergie.

– Mais... commença Rosalie.

Elle ne savait pas trop comment Rascal allait s'entendre avec les autres chiots. Avec Charles, ils avaient décidé d'attendre encore quelques jours avant de présenter Rascal à Rufus et Cannelle.

– Surveillez-le du coin de l'œil, c'est tout, répondit Juliette qui les quitta pour parler avec un autre propriétaire.

– OK, Rascal, vas-y! dit Charles en enlevant la laisse.

Youpi! Enfin libre! La laisse était une chose horrible. Pourquoi ne comprenaient-ils pas qu'il avait besoin de courir et de jouer? En plus, il avait du travail. Il devait montrer à tous ces chiens que c'était lui qui commandait.

À la seconde où il fut libre, Rascal fila à toute allure à travers le gymnase. Il courut d'un chiot à l'autre, bondissant sur chacun pour bien lui faire comprendre qui était le chef. Le minuscule teckel répliqua en bondissant à son tour, mais le bouledogue se blottit entre les jambes de sa propriétaire en tremblant de peur. Le Jack Russel sauta ensuite sur un chiot labrador noir, un berger allemand aux oreilles gigantesques et deux caniches, un noir et un blanc, avant de finalement voler la balle d'un chiot noir tout ébouriffé et de pourchasser un petit corgi rigolo aux pattes toutes courtes jusque sous les gradins.

Charles et Rosalie couraient derrière Rascal, en essayant de l'empêcher de faire peur aux autres chiens.

– Rascal! criait Rosalie. Ne fais pas ça!

– Allez Rascal, suppliait Charles, sois gentil, s'il te plaît.

Rosalie fut bien vite complètement essoufflée.

– OK, tout le monde. Remettez les laisses, nous allons commencer, cria Juliette au milieu du gymnase.

– Comme si c'était *facile*! grommela Charles.

Rosalie et lui avaient déjà eu le temps de se rendre compte qu'attraper Rascal quand il n'en avait pas envie était presque une mission impossible.

– Viens par ici, toi, dit Rosalie en essayant de saisir le chiot qui se précipitait de nouveau vers le petit bouledogue un peu peureux.

C'était tellement gênant. Tous les autres propriétaires formaient déjà un grand cercle au centre du gymnase avec leurs chiots. Ils étaient prêts à travailler.

Finalement, Juliette réussit à attraper Rascal alors qu'il recommençait à lutter avec le chiot noir aux poils hirsutes. Elle le tint par le collier jusqu'à ce que Rosalie arrive à lui mettre la laisse.

– Merci, dit Rosalie en rougissant.

– Pas de problème, répondit Juliette. C'est juste un chiot tout fou. C'est pour ça qu'il vient aux cours de maternelle, non?

Elle sourit à Rosalie.

Mais une heure plus tard, l'éducatrice n'était plus aussi souriante. Rascal aboyait quand Juliette voulait parler, pourchassait les autres chiens pendant les exercices pour apprendre à marcher en laisse, et avait essayé trois fois de voler la balle du chiot noir.

– Rascal, dit finalement Juliette. Je pense que tu as besoin d'une pause.

Elle demanda à Charles et Rosalie de l'emmener dehors pour qu'il « se calme un peu ».

Rosalie n'était pas sûre d'avoir envie de retourner dans le gymnase à la fin de la pause, mais Rascal avait besoin d'être dressé et elle, elle avait besoin d'aide!

– Je suis vraiment désolée, dit-elle à Juliette à la fin du cours. Peut-être qu'on ne devrait pas revenir la semaine prochaine.

Rascal allait-il se faire renvoyer dès la maternelle?

– Oh, ne t'inquiète pas pour ça, répondit Juliette.

Vous devez continuer à essayer, ça en vaut la peine. J'ai vu bien pire que lui, croyez-moi. Il apprendra.

Rosalie commençait vraiment à se demander si c'était possible.

CHAPITRE CINQ

– On y est presque!

Maria s'agitait sur son siège pendant que l'auto bleue de son père cahotait sur une longue allée en gravier.

– Je n'arrive pas à y croire. Tu viens enfin avec moi au centre équestre.

– Moi non plus, je n'arrive pas à y croire, répondit Rosalie en espérant que la nervosité dans sa voix passerait pour de l'excitation.

Elle allait finalement prendre sa première leçon d'équitation! Sa mère avait insisté pour qu'elle y aille, en lui disant qu'elle avait besoin de s'amuser un peu, loin de Rascal. Elle n'avait donc plus d'excuse. Dans une demi-heure, Rosalie serait donc juchée sur le dos d'un cheval gigantesque. Enfin, si elle était chanceuse. Sinon, elle serait allongée par terre après avoir reçu une ruade. Rosalie frissonna. Rien que d'y penser, elle sentait son cœur battre plus fort.

– Tu vas *adorer* ça, je te le promets, continua Maria tout heureuse. Les gens là-bas sont tellement gentils et leurs chevaux sont les meilleurs. Et Cathy est tellement, tellement cool! Elle sait absolument tout sur les chevaux, comment il faut les monter et comment il faut s'en occuper. Tu te souviens, je t'avais parlé de ce cheval, Tony, qui s'était blessé à une patte? Eh bien, Cathy et François ont pris soin de lui et bientôt on pourra de nouveau le monter.

– Super! dit Rosalie.

Mais Maria ne l'écoutait pas vraiment. Elle était tellement excitée qu'elle continuait à parler toute seule. Rosalie ne savait même plus si son amie lui parlait de gens ou de chevaux : Sally, Franck, Tony, Cathy, Vanessa, Pockey, Galahad... Tous les noms se mélangeaient.

– Hé! ma belle, calme-toi, dit le père de Maria.

Laisse une chance à Rosalie de découvrir le centre par elle-même.

Mais Maria continua à s'agiter sur son siège.

– Ça y est, on est arrivés! cria-t-elle alors que l'auto s'arrêtait devant une ancienne écurie.

À côté, il y avait un manège, une grande piste ronde en terre entourée d'une barrière en bois. Un peu plus loin, il y avait le paddock, un enclos plein d'herbes où des chevaux broutaient.

– Regarde, c'est Tony! dit Maria en montrant un cheval blanc avec de grandes taches noires.

Le cheval arrachait l'herbe du paddock à grands coups de dents et remuait sa longue queue noire tout en mâchant.

– C'est un Paint Horse, reprit la jeune fille. Tu sais comme les chevaux des Indiens. Tony!

Les deux jeunes filles descendirent de voiture et Maria appela le cheval en faisant un drôle de bruit avec sa langue. Tony arriva en trottant.

Le père de Maria leur fit au revoir de la main et repartit. Rosalie regarda la voiture s'éloigner en pensant qu'elle aussi aimerait bien rentrer chez elle.

Maria tendit une carotte à Rosalie.

– Vas-y, donne-lui cette carotte et il t'aimera pour toujours.

Rosalie resta clouée sur place.

– Allez, vas-y, dit Maria. Il ne te fera pas de mal.

– Je sais, je sais, répondit Rosalie avec un petit rire nerveux.

– OK, je te montre, dit Maria.

Rosalie trouva que les dents de Tony avaient l'air horriblement grandes quand il prit la carotte de Maria.

Tony passa son nez à travers la barrière et poussa un peu le bras de Rosalie.

– Hé! s'exclama Rosalie.

– Il veut juste ta carotte, lui expliqua Maria.

En faisant très attention, Rosalie lui donna la carotte comme l'avait fait Maria, la main tendue bien à plat. Tony la prit doucement. Rosalie ne sentit rien à part son souffle chaud sur sa main. Maintenant qu'elle était proche de lui, elle sentait son odeur de cheval, et elle trouvait ça plutôt agréable. Il avait le poil brillant et son nez avait l'air aussi doux que du velours.

– Tu peux le caresser, l'encouragea Maria.

Lentement, Rosalie tendit la main et caressa le cou

de Tony. Le cheval remua les oreilles et expira un peu d'air en se penchant vers elle. Rosalie recula, mais elle n'était pas vraiment effrayée. Peut-être qu'il existait des chevaux méchants, mais visiblement Tony était gentil et ne lui ferait pas de mal.

– Il t'aime bien! affirma Maria.

– Tony aime tout le monde, surtout si on lui donne des carottes!

Une femme en jean et en chandail bleu s'était approchée des deux amies. Elle souriait.

– Tu dois être Rosalie, ajouta-t-elle en tendant la main. Je m'appelle Cathy. Enchantée de faire ta connaissance.

– Peut-elle prendre une leçon aujourd'hui? demanda Maria.

Cathy se tut pendant quelques secondes et regarda Rosalie.

– Oui, bien sûr, répondit-elle. Je pense qu'elle pourrait monter Sally, qu'en penses-tu?

– Parfait, approuva Maria. Je vais aller la seller.

Elle prit Rosalie par la main.

– Viens avec moi. Je vais te montrer comment faire, comme ça la prochaine fois, tu pourras le faire toute seule.

Rosalie suivit son amie à l'intérieur de l'écurie sombre et fraîche. Il y avait une odeur de moisi un peu douceâtre, un mélange de foin, de cuir et de chevaux. Rosalie prit une profonde respiration. Les chevaux se penchaient au-dessus de la porte de leur box pour dire bonjour en hennissant, et Maria indiquait à Rosalie le nom de chacun en montrant les pancartes accrochées au-dessus des box.

– Là, c'est Willie, Jasper et Trésor, dit-elle. Elle, c'est Jet. Elle est un peu nerveuse.

– J'aime bien celui-là, dit Rosalie en désignant un cheval blond avec une crinière pâle et dorée.

– Elle s'appelle Minx. C'est une Palomino. Elle est magnifique, n'est-ce pas?

Sally se révéla être une jument grise, pas trop grosse et très gentille. Maria conduisit Sally dans la salle d'équipement pour prendre une selle et une bride, puis elles retournèrent dans l'écurie pour faire sortir Sally de son box. La jument attendit patiemment pendant que Maria expliquait comment mettre la selle et vérifier que la sangle était assez serrée. Ensuite les deux amies emmenèrent Sally vers le manège.

Cathy les attendait près de la porte de l'écurie.

– En selle, dit la jeune monitrice d'équitation, en montrant une grosse marche. Tu peux monter là-dessus, ce sera plus facile.

Rosalie hésita.

– N'aie pas peur, lui dit Cathy. Mets ton pied gauche dans l'étrier et lance ta jambe droite par-dessus le dos de la jument. Sally attendra ici sans bouger jusqu'à ce que tu sois prête. Mais plus vite tu seras montée, plus vite tu pourras commencer.

Avant d'avoir eu le temps de dire ouf, Rosalie se retrouva en selle, tournant au pas dans le manège avec Cathy qui guidait Sally à l'aide d'une longue corde appelée une longe.

– Parfait! Les talons vers le bas et la tête bien haute. Les coudes écartés! Excellent! l'encourageait Cathy.

– Tu fais ça super bien, dit Maria avec un immense sourire.

Rosalie faisait donc de l'équitation. Monter à cheval lui avait complètement fait oublier Rascal. Et à sa grande surprise, elle s'amusait vraiment beaucoup.

CHAPITRE SIX

– Rascal, non!

Rosalie ne se souvenait même plus combien de fois elle avait dit cela au cours des dix dernières minutes.

Rosalie, Charles et Rascal étaient de nouveau au cours de maternelle pour chiots. Ils faisaient de leur mieux pour suivre les instructions de Juliette, du moins Charles et Rosalie. Parce que Rascal, lui, faisait de son mieux pour embêter tout le monde. En tout cas, c'est l'impression qu'il donnait.

– Comment peux-tu être à la fois aussi mignon, aussi intelligent et aussi tannant? lui demanda Rosalie.

Ils étaient censés s'entraîner à marcher en laisse. Tous les maîtres et les chiots formaient un grand cercle dans le gymnase.

Rascal avait déjà aboyé après le bouledogue, pourchassé le teckel et bondi sur le petit labrador et les deux caniches. Et pas pendant le temps de jeu, non! Pendant la leçon où les chiots apprenaient à obéir à l'ordre « assis ».

Maintenant, Charles et Rosalie essayaient de marcher avec lui, mais le petit Jack Russel attrapait sans cesse sa laisse dans la gueule et la secouait en poussant de petits grognements.

Grrr, grrr. Il faut donner une bonne leçon à cette laisse. Petite chose stupide. Est-ce que ces gens comprendront un jour que j'ai besoin de courir, courir, et courir?

Il s'arrêta une seconde quand Rosalie dit « non ». Il la regarda, la tête penchée sur le côté, comme s'il demandait : « qui ça, moi? ». Ses yeux noirs brillaient. Son oreille droite se dressait sur sa tête, alors que son oreille gauche retombait. Ses moustaches frémissaient. On avait vraiment l'impression qu'il comprenait ce que lui disait Rosalie même s'il ne pouvait pas répondre.

Rosalie sentit son cœur fondre. Ce petit chiot était

tellement mignon, il méritait d'être adopté par des maîtres gentils qui l'aimeraient. Mais s'il n'apprenait pas les bonnes manières, qui allait vouloir de lui?

– OK, bon travail tout le monde, dit Juliette.

Charles et Rosalie échangèrent un regard. Ils savaient que l'éducatrice n'incluait pas Rascal dans son « tout le monde ».

Les autres chiots non plus n'étaient pas parfaits. Bouba, le bouledogue, par exemple, détestait marcher en laisse. Quand sa maîtresse tirait sur la laisse, il refusait absolument de bouger. Avec sa petite face toute plissée et toute plate, il avait l'air tellement têtu qu'il faisait rire Rosalie.

Trixie la corgi, elle, avait l'habitude de s'approcher en douce des autres chiots pour leur voler leurs jouets. Quel que soit le nombre et le genre de jouets que ses maîtres apportaient - jouets en peluche, jouets qui font du bruit, jouets à tirer et balles - Trixie trouvait toujours les affaires des autres plus intéressantes.

Mais Rascal était le pire de tous. Et de loin. C'était comme s'il voulait toujours être au centre de l'attention. Il ne supportait pas que Juliette parle trop longtemps ou que l'on félicite un des autres chiots. Il se mettait à aboyer, à sauter et à courir partout. Rosalie devait le prendre dans les bras pour qu'il se calme.

– Comment ça se passe à la maison? demanda Juliette.

Elle était venue voir Charles et Rosalie pendant une pause. Elle se pencha pour gratter Rascal sous le menton et le Jack Russel se mit à agiter la queue de toutes ses forces.

Rosalie soupira.

– Et bien, il ne mâchouille plus autant de choses, répondit-elle. Mais c'est surtout parce qu'il est enfermé dans la cuisine la plupart du temps.

– Il commence à venir quand on l'appelle, ajouta son frère. Tu te souviens, Rosalie? Hier, il est venu cinq fois de suite.

– C'est vrai, dit Rosalie. Il est très intelligent. Mais il a tellement d'énergie!

Juliette hocha la tête, pensive.

– Peut-être qu'il a juste besoin de beaucoup, beaucoup d'exercice et de beaucoup d'espace pour courir, dit-elle.

La jeune éducatrice regarda autour d'elle et vit que tous les autres étaient revenus de leur pause.

– Très bien, dit Juliette en revenant au milieu du cercle des participants, nous allons maintenant travailler l'ordre « Reste ».

Rosalie gémit. Pas assez fort pour que Juliette l'entende, un minuscule petit gémissement. Jusqu'ici, cela n'avait pas vraiment été l'exercice préféré de Rascal.

– N'oubliez pas, nous voulons qu'ils réussissent. Alors, vous allez commencer par leur demander de rester immobile pendant deux secondes environ, dit Juliette. S'ils y arrivent, vous les féliciterez chaudement et leur donnerez une friandise. Puis la prochaine fois, vous leur demanderez de tenir pendant trois secondes!

Juliette demanda aux participants de se mettre face à leur chiot en tenant la laisse. Quelques-uns des chiots levèrent la tête vers leur maître, attendant de voir ce que celui-ci voulait. Mais Rascal, comme la plupart des chiots, regarda ailleurs, distrait par toutes ces odeurs et tous ces bruits inhabituels.

Cet endroit est génial! Rascal adorait être avec les autres chiens. Mais quel était l'intérêt s'il ne pouvait pas jouer avec eux? Que pouvait-il y avoir de plus important que de jouer?

– OK. Maintenant, demandez-lui de s'asseoir, dit Juliette.

– Assis! ordonnèrent en chœur tous les participants.

Quatre chiots obéirent. Le petit labrador s'allongea et se roula par terre. Rascal commença à aboyer et à sauter sur place. Le berger allemand se mit à aboyer à son tour et resta debout, agitant ses grandes oreilles et regardant le petit Jack Russel. Le teckel renifla le plancher. Charles, qui tenait la laisse, regarda Rosalie sans savoir quoi faire.

Juliette ignora Rascal.

– Super! dit-elle. Maintenant, tendez la main de manière à présenter votre paume face au chien et dites « reste ».

– Reste, répétèrent les maîtres.

Charles le dit aussi, mais Rosalie doutait que Rascal ait pu entendre l'ordre. Il était trop occupé à aboyer.

– Et une et deux secondes, fini, dit Juliette.

Les propriétaires dirent le mot de fin d'exercice, « Fini », et les chiens se redressèrent en agitant la queue.

Rascal, pour sa part, continua à sauter et à aboyer.

– Eh bien, je pense que notre cours est terminé pour ce soir, dit Juliette en regardant l'horloge au mur. À la semaine prochaine!

Charles et Rosalie se dirigeaient vers la sortie quand Juliette les arrêta.

– Je déteste vraiment devoir vous dire ça... commença Juliette, le visage grave, mais je ne pense pas que Rascal... eh bien disons qu'il n'est pas à sa place dans ce cours. Je pensais que ça l'aiderait, mais il gêne beaucoup les autres chiens et les empêche de se concentrer. Je suis désolée, mais je dois vous demander de ne plus le ramener.

Rosalie baissa la tête et regarda ses espadrilles. Elle avait toujours su que cela arriverait. Rascal était renvoyé de la maternelle.

– Si vous voulez, je peux lui donner des cours privés, continua doucement Juliette. Mais pour vous dire la vérité, il va avoir besoin de dizaines d'heures de dressage avant de pouvoir vivre avec une famille. Il va peut-être avoir besoin d'un foyer un peu différent.

Rosalie regarda la jeune femme, puis Rascal.

Que voulait dire Juliette? Voulait-elle dire que Rascal ne pourrait jamais apprendre les bonnes manières? Mais alors, comment les Fortin allaient-ils lui trouver de nouveaux maîtres? Belle famille d'accueil! Incapable d'aider Rascal...

Rascal se demandait pourquoi ces gens avaient l'air aussi sérieux. Ils s'étaient tous tellement bien amusés! Il avait joué, sauté et aboyé. Pourquoi la petite fille le regardait-elle de cette manière?

CHAPITRE SEPT

– C'est génial, s'exclama Maria.

Rosalie et elle étaient dans l'écurie en train de seller Sally.

– Je n'arrive toujours pas à croire que tes parents sont d'accord pour que tu prennes des leçons d'équitation.

– Ils ont dit que je le méritais, parce que j'avais travaillé vraiment dur avec Rascal, répondit Rosalie.

Elle flatta l'encolure de Sally et la vieille jument se mit à hennir doucement. Rosalie était heureuse d'être de retour au centre équestre.

– Alors, apprend-il les bonnes manières? demanda Maria tout en tirant sur un étrier.

– Pas vraiment, reconnut Rosalie. Maman nous donne une semaine de plus à Charles et à moi pour le dresser. Elle a dit qu'ensuite, elle le donnerait à un refuge pour animaux en espérant qu'ils lui trouvent une maison.

Maria secoua la tête.

– Ce n'est pas du tout ce qu'il lui faut. Charles et toi pouvez lui accorder beaucoup plus d'attention. Je suis sûre que vous trouverez une solution. J'en suis certaine. Tu as vraiment un don avec les chiens.

– J'avais un don... répondit Rosalie. Mais avec Rascal... je ne sais pas...

– Bon, oublions Rascal pendant un moment, dit Maria. Occupons-nous des chevaux plutôt.

– Bonne idée! approuva Rosalie.

– Sally est prête à être montée, déclara Maria. Pourrais-tu aller chercher mon deuxième casque dans la salle d'équipement pendant que je prépare Major?

Major était le cheval préféré de Maria, un bel alezan avec une étoile blanche sur le front.

Après être allée chercher le casque, Rosalie se promena un peu dans l'écurie en attendant Maria. Elle dit bonjour à certains des chevaux dont elle avait fait la connaissance la fois précédente : Trésor, Jasper et Willie. Elle flatta même Minx, le beau Palomino. Mais elle n'approcha pas Jet, le cheval noir que Maria avait qualifié de « nerveux ». Elle ne savait pas ce que ça signifiait exactement, mais cela devait avoir un rapport avec le fait de donner des coups de pieds ou mordre. Rosalie commençait à s'habituer aux chevaux. Elle n'était plus aussi effrayée qu'au début, mais elle continuait à penser qu'il valait mieux être prudente.

Puis Rosalie regarda dans la dernière stalle et aperçut un cheval d'un beau brun brillant. Il avait une large et noble tête et de grands yeux doux et sombres qui regardaient la jeune fille avec curiosité.

– Ouah! s'exclama Rosalie.

Elle ne connaissait pas grand-chose aux chevaux, mais un coup d'œil suffisait pour voir que celui-ci était spécial. Elle commença à s'approcher du box. Le cheval rejeta la tête en arrière et gémit. Rosalie s'arrêta quelques secondes. Mais sa curiosité l'emporta et elle avança.

Tout d'un coup, elle entendit un grand boum. Rosalie s'immobilisa net. Quelle était ce bruit?

– Rosalie! Arrête! cria Maria à l'autre bout de l'écurie. Ne t'approche pas!

Rosalie recula de quelques pas, en gardant les yeux fixés sur le cheval qui rejetait de nouveau la tête en arrière. On voyait le blanc de ses yeux et ses oreilles pointaient vers l'arrière. La jeune fille savait que quand les chiens mettaient leurs oreilles comme ça, c'est qu'ils étaient effrayés ou en colère. Ça devait aussi être vrai pour les chevaux.

Maria rejoignit Rosalie en courant.

– C'est Galahad, expliqua-t-elle. Il est magnifique, n'est-ce pas?

Rosalie hocha la tête. C'était le plus beau cheval qu'elle ait jamais vu. Il avait une belle robe brune brillante. Sa crinière et sa queue étaient noires et semblaient douces comme de la soie.

– Est-il... dangereux? demanda Rosalie.

Maria secoua la tête.

– Non, il a juste mauvais caractère. Le bruit que tu as entendu, c'est parce qu'il donnait des coups de pied dans son box.

Rosalie était contente de ne pas être la destinataire des coups de pied. Galahad était très grand. Il avait l'air deux fois plus gros que Sally.

– Pourquoi donnait-il des coups de pied?

– C'est devenu un vieux bougon ces derniers temps, dit Maria. C'est le cheval de Cathy. C'est un sauteur incroyable. Cathy avait l'habitude de l'emmener à des compétitions de sauts d'obstacles, mais il est devenu tellement capricieux qu'elle ne peut plus le faire. Alors, je pense qu'il s'ennuie et cela le rend encore plus grognon.

– Tu as sans doute raison, dit une voix derrière elles.

C'était Cathy qui venait les rejoindre près du box de Galahad. Elle s'approcha de son cheval et lui gratta doucement le nez. Galahad s'ébroua, mais sans reculer.

– Quel dommage, mon grand, dit la monitrice, tu étais tellement gentil autrefois.

Rosalie soupira.

– C'est tellement difficile d'obtenir ce qu'on veut des animaux, dit-elle.

Cathy la regarda avec curiosité.

– Tu as tout à fait raison. Mais de quel animal parles-tu? Pas de Sally, c'est un ange.

– Non, d'un chiot que ma famille a recueilli.

Elle raconta à Cathy tous ses problèmes avec Rascal. Cathy écouta en hochant la tête.

– Mon mari et moi avons déjà eu un Jack Russel. Il s'appelait Piment. C'était un peu la mascotte de l'écurie. Sais-tu qu'on trouve souvent des Jack Russel dans les écuries? Ils s'entendent bien avec les chevaux.

Mais Piment est mort il y a six mois de ça. Il me manque encore ce petit démon, dit Cathy en riant. Ces chiens ont tellement d'énergie qu'ils sont difficiles à éduquer même s'ils sont très intelligents.

En entendant ça, Rosalie se sentit mieux.

Cathy réfléchit quelques instants.

– Et si tu emmenais Rascal au centre équestre la prochaine fois, qu'en penses-tu? Peut-être que je pourrais te donner quelques petits trucs pour t'aider à le dresser.

– C'est vrai? dit Rosalie.

La jeune fille commençait déjà à avoir une autre de ses fameuses grandes idées. Peut-être que Cathy pourrait adopter Rascal! Il vivrait à l'écurie où il aurait plein d'espace pour jouer et courir, et où on s'occuperait bien de lui. Ce serait le foyer idéal pour lui.

– Ce serait génial, continua Rosalie. Tu es sûre?

Cathy hocha la tête.

– Je sais que ça va me rendre triste de voir un petit Jack Russel. Avec François, on a déjà décidé que si un jour, nous avions un autre chien, ce serait une autre race. On ne pourra jamais remplacer notre Piment. Mais quand même, je crois que tu as besoin d'aide avec ce petit Rascal.

– C'est certain. Merci.

La grande idée de Rosalie n'avait pas fait long feu. Cathy n'avait pas l'intention d'adopter Rascal. Tant pis, ce serait quand même rigolo de l'amener ici pour quelques heures.

– Et maintenant, dit Cathy, je pense qu'il est temps de commencer.

Elle montra Sally qui attendait patiemment dans l'allée.

– Prête pour ta leçon?

CHAPITRE HUIT

En rentrant à la maison après sa leçon d'équitation, Rosalie trouva Charles et sa mère dans la cuisine. Elle mourait de faim. Monter à cheval lui avait ouvert l'appétit.

– Qu'y a-t-il pour le souper? demanda-t-elle.

Elle se pencha pour caresser Rascal qui sauta sur place en aboyant. Il était toujours tellement content de la voir. En se relevant, elle vit que sa mère fronçait les sourcils. Et Charles avait posé le doigt sur ses lèvres pour lui dire *chut*!

Le Haricot imita son frère en faisant *chut* très fort.

Oh, oh!

– Eh bien, *j'allais* préparer un pain de viande, dit sa mère en croisant les bras et en fixant Rascal. Mais pendant que j'étais au deuxième étage en train de consulter la recette sur l'ordinateur, *quelqu'un* a découvert qu'il était capable de sauter assez haut pour attraper la viande sur le comptoir.

Rascal cessa de sauter quelques instants et s'assit pour les regarder.

Pourquoi avaient-ils tous l'air aussi en colère? Ils devraient être fiers de son nouveau tour au contraire. Combien de chiens étaient capables de sauter aussi haut que lui? Il était un sauteur exceptionnel, même si c'était lui qui le disait. Et maintenant qu'il avait découvert le comptoir, la cuisine allait devenir un endroit beaucoup plus intéressant.

Rosalie secoua la tête. Le petit Jack Russel la fixa de ses yeux noirs en forme de bouton et remua sa petite queue. Comment un chien aussi infernal pouvait-il être aussi mignon?

– Qu'allons-nous faire de toi? soupira Rosalie

– Nous allons lui trouver une famille, voilà ce que nous allons faire, répondit Mme Fortin.

– Mais maman, intervint Charles, qui va vouloir d'un chien qui se conduit aussi mal?

Maintenant, c'était au tour de Rosalie de faire signe

à son frère de se taire. Charles était juste un peu énervé parce que le pain de viande était l'un de ses plats préférés.

– On va continuer à le dresser, promit Rosalie à sa mère.

– Très bien, dit Mme Fortin. Mais vous avez besoin d'aide. J'ai demandé à Juliette de donner un cours privé à Rascal. Elle vient ce soir.

– Ici? demanda Rosalie, surprise.

Elle ne savait pas que les éducateurs canins donnaient des cours à domicile.

– Juliette dit qu'il est important que toute la famille apprenne comment s'occuper de Rascal. Elle veut que nous soyons tous là.

Mme Fortin n'avait pas l'air particulièrement enchantée de ce cours privé.

M. Fortin, lui, aima l'idée.

– Ça va être sympa, dit-il quand il arriva à la maison avec deux pizzas pour le souper.

Visiblement, Mme Fortin l'avait appelé pour lui parler de Rascal et du pain de viande.

Ils avaient à peine fini de manger que la sonnette de la porte d'entrée retentit. Rascal commença à sauter sur place et à aboyer très fort de sa petite voix aiguë. Le Haricot posa la croûte de sa pizza et poussa aussi quelques aboiements.

Mme Fortin se couvrit les oreilles avec les mains.

Rosalie se précipita vers l'entrée.

– Bonjour Juliette, dit-elle en ouvrant la porte.

– Bonjour Rosalie, répondit l'éducatrice. Tu sais quoi? On va réessayer. Je vais ressortir, attendre une petite minute et sonner de nouveau. Si Rascal se met à aboyer…

– Aucun doute là-dessus! l'interrompit Rosalie.

– Alors, *quand* Rascal se mettra à aboyer, reprit Juliette en souriant, essaie de jeter ça à côté de ses pieds sans lui faire mal. Il ne doit pas comprendre d'où ça vient.

Elle tendit à Rosalie une canette fermée pleine de pièces de un cent.

– J'en ai déjà utilisé une comme ça une fois, dit Rosalie. Quand on faisait faire des tests à Réglisse, le chiot qui va devenir chien-guide pour aveugles. On avait jeté une canette pleine de pièces à côté de lui pour voir s'il avait peur. Ça ne l'avait pas effrayé.

– Parfait! dit Juliette. Eh bien cette fois, on utilise la

canette pour détourner son attention de la porte. Si Rascal arrête d'aboyer parce qu'il est surpris ou curieux, vous le féliciterez et lui donnerez une friandise.

– Essayons! dit Rosalie.

Elle referma la porte et revint dans la cuisine. Après avoir escaladé la barrière de sécurité pour bébé, elle expliqua le plan de Juliette au reste de la famille. Puis, elle resta à côté de Rascal en attendant la sonnette de la porte.

Quand la sonnette retentit, Rascal commença à aboyer.

Rosalie lança la canette.

Hé! Qu'est-ce que c'est? Rascal entendit le bruit de ferraille et se demanda d'où cela venait. Mais il était trop occupé à aboyer pour s'arrêter et chercher ce qui se passait. Après tout, il avait un travail à faire. Il devait avertir ces gens qu'il y avait quelqu'un à la porte.

– Bon, ça n'a pas super bien marché, reconnut Juliette quand Rosalie vint de nouveau lui ouvrir la porte. Mais ne vous inquiétez pas. Nous allons essayer d'autres choses.

Rascal était encore en train d'aboyer quand Juliette et Rosalie entrèrent dans la cuisine.

– Rascal! cria M. Fortin. Arrête ça tout de suite.

M. Fortin criait rarement, mais les aboiements de Rascal fatiguaient tout le monde.

– Je sais que c'est très énervant, dit Juliette. Mais essayez de ne pas crier après lui. Essayez de réfléchir comme si vous étiez un chien. S'il vous entend crier, il va croire que vous êtes en train d'aboyer et il va vouloir vous accompagner.

– Mais alors que faut-il faire? demanda Mme Fortin, en enlevant les mains de ses oreilles pour entendre la réponse de Juliette.

– Ignorez-le, suggéra l'éducatrice. Attendez jusqu'à ce qu'il se lasse. Ensuite, félicitez-le.

Ils ignorèrent Rascal.

Ils l'ignorèrent un peu plus longtemps.

Le Jack Russel continuait à sauter et à aboyer.

– Ou bien, dit finalement Juliette. Vous pouvez essayer de l'asperger avec un peu d'eau ou un mélange d'eau et de vinaigre.

Elle sortit un petit vaporisateur de son sac et aspergea Rascal pendant qu'il regardait ailleurs.

Hé! Qu'est-ce que c'est? Il ne pleut pas en général à l'intérieur. Rascal tourna sur lui-même pour essayer de comprendre d'où venait cette eau.

Il cessa d'aboyer.

– Ah, dit la mère.

– Enfin, dit le père.

– Bon chien! dit Juliette à Rascal en lui donnant un biscuit. Maintenant, nous allons peut-être pouvoir faire quelques exercices.

Juliette resta plus d'une heure à travailler avec Rascal et les Fortin.

Rascal essaya de se concentrer. Il essaya vraiment fort. Mais c'était tellement ennuyeux de s'asseoir, et encore plus ennuyeux de rester immobile. Il trouvait plus amusant de courir et tourner sur lui-même!

– Merci d'être venue, dit Mme Fortin quand toute la famille, épuisée, souhaita bonne nuit à Juliette.

L'éducatrice soupira.

– Bienvenue. J'aimerais pouvoir vous aider davantage. Mais la vérité est que Rascal ne sera peut-être jamais un très bon chien d'intérieur.

Charles et Rosalie échangèrent un regard.

– Je passerai quelques coups de fil, continua Juliette. Je connais une femme qui prend des chiens dans sa ferme. Peut-être que Rascal pourrait rester avec elle quelque temps. Les chiens ne reçoivent pas beaucoup d'attention, mais au moins Rascal aurait un endroit où vivre.

M. et Mme Fortin approuvèrent. Mais Charles et Rosalie secouèrent la tête. La ferme était une bonne idée, mais Rascal aimait beaucoup les gens et avait besoin qu'on s'occupe de lui. Ils devaient continuer à chercher le foyer idéal pour le petit Jack Russel, et il ne leur restait plus beaucoup de temps.

CHAPITRE NEUF

– Êtes-vous sûrs que c'est une bonne idée? demanda M. Fortin en déposant Charles, Rosalie et Rascal au centre équestre le lendemain après l'école.

Rascal allait rencontrer Cathy pendant que Charles assisterait à la leçon d'équitation de Rosalie.

– C'est Cathy qui m'a demandé de l'amener, répondit Rosalie. Elle pense qu'elle pourra nous donner des conseils pour l'éduquer.

– D'accord, dit-il. Mais gardez-le toujours en laisse. Je ne veux pas qu'il sème la pagaille.

Maria les attendait déjà.

– Bonjour Rascal, dit-elle en se penchant pour faire un câlin au chien. Comme tu es mignon! Cathy va t'adorer.

– Où est Cathy? demanda Rosalie.

– Sûrement à l'écurie, dit Maria.

Elle les conduisit à l'écurie. Rascal les accompagna

en tirant sur la laisse que tenait Rosalie.

Quel endroit captivant! Rascal aimait toutes ces bonnes odeurs. Il y avait tellement de choses à explorer ici. Et là, regardez! Des animaux gigantesques! Est-ce que c'était des chiens géants?

– Rascal aime les chevaux, dit Rosalie en riant.

Le petit Jack Russel s'arrêtait devant chaque stalle pour renifler et saluer les chevaux qui baissaient la tête pour regarder ce drôle de petit chien.

Charles acquiesça.

– Il est tellement excité qu'il n'aboie même pas!

Rascal courait de box en box, entraînant Rosalie derrière lui. Soudain, on entendit un grand boum à l'autre bout de l'écurie.

– Galahad! dit Rosalie.

Le cheval donnait encore des coups de pied. Rosalie se demanda si le bruit allait faire peur à Rascal, mais le chiot n'eut pas l'air effrayé du tout. En fait, il tira encore plus fort dans cette direction.

– Il veut faire la connaissance de Galahad, dit Rosalie à son frère. Mais ce n'est sans doute pas une bonne idée.

Elle imaginait déjà le petit Jack Russel piétiné ou frappé par l'immense cheval!

Juste à ce moment-là, Cathy sortit du box de Minx, en s'essuyant le front, une fourche à la main.

– Pfiou, s'écria-t-elle. Dernier box de la journée. Ils sont tous propres maintenant. Hé! mais tu dois être Rascal.

La jeune femme s'agenouilla et ouvrit les bras. Rascal tira si fort sur sa laisse que Rosalie dut la lâcher. Le petit chiot se précipita vers Cathy et lui lécha le visage pendant qu'elle le serrait contre elle.

– Oui, Oui, bonjour, mon beau, dit la monitrice en riant. Moi aussi, je suis contente de te voir.

Rascal aimait cette femme. Il l'aimait beaucoup, beaucoup. Elle sentait tellement bon! Et il savait qu'elle aussi l'aimait.

Cathy serrait fort Rascal contre elle et Rosalie vit des larmes dans ses yeux. Elle savait que Cathy devait penser à son ancien compagnon, Piment. Mais la jeune femme souriait aussi en même temps.

– C’est un amour, dit finalement Cathy en se relevant et en enlevant les brins de paille de son jean. Il sera plus grand que Piment et il a plus de taches brunes, mais il a le même caractère. Toujours de bonne humeur, curieux et toujours à la recherche de mauvais coups à faire.

– C’est tout à fait Rascal! s’exclamèrent Charles et Rosalie en même temps.

Rosalie présenta son frère à Cathy.

– Bienvenue au centre équestre, dit Cathy en souriant. Ce petit gars vous demande beaucoup de travail. Les Jack Russel ne sont pas faciles à éduquer, mais ils en valent la peine. Piment avait fini par m’écouter, enfin de temps en temps et c’était devenu un chien formidable.

Elle soupira, puis secoua la tête pour retrouver ses esprits.

– Bon! Prête pour ta leçon, Rosalie? demanda-t-elle.

– Plus que prête! répondit Rosalie.

– Je pense que François a déjà préparé Sally, dit Cathy. François?

Un homme sortit de la salle d’équipement.

– Sally est prête, dit-il.

– Veux-tu faire la connaissance de Rascal? demanda Cathy à son mari.

Rosalie le vit secouer la tête.

– Je suis trop occupé pour l'instant, répondit François en faisant rapidement demi-tour et en sortant de l'écurie.

Cathy haussa les épaules.

– Il ne faut pas lui en vouloir, dit-elle. Piment lui manque beaucoup. Ils étaient très amis tous les deux. Bon, qu'allez-vous faire de Rascal pendant le cours?

– Charles va le surveiller, dit Rosalie.

Cathy leva bien haut les pouces.

– Excellent. Allons-y!

Elle les conduisit jusqu'au manège où les attendait Sally.

Une fois Rosalie en selle, Cathy lui annonça une drôle de nouvelle.

– Pas de longe, aujourd'hui, annonça-t-elle. Tu te débrouilles seule. C'est toi la patronne. C'est toi qui dis à Sally où tu veux aller, et à quelle allure.

Rosalie sentit son cœur se serrer.

– À quelle allure? répéta-t-elle. Tu veux dire que je pourrais lui demander de faire du trot ou quelque chose du genre?

Elle savait que l'allure la plus rapide après le pas était le trot. Puis il y avait le petit galop et enfin le galop. Rosalie n'était prête pour rien de tout ça! Même le trot lui faisait peur, parce que ça voulait dire qu'elle devrait apprendre à se soulever au-dessus de la selle en cadence avec le cheval. Rosalie avait vu Maria s'entraîner, mais elle n'avait aucune idée de ce qu'il fallait faire.

– On va commencer au pas, dit Cathy, en souriant. Sally n'est pas pressée. Elle peut se promener au pas toute la journée. Dis « Hue » et commence à tourner dans le manège dans le sens des aiguilles d'une montre.

Rosalie claqua la langue et donna un petit coup de pied à Sally. Puis, quand la jument commença à avancer, elle tira sur la bride extérieure comme Cathy le lui avait appris – et Sally tourna.

– Ouah! dit Rosalie tout haut, avec un grand sourire.

Elle montait à cheval!

Pendant la demi-heure suivante, Rosalie oublia tout. Elle était tellement concentrée sur son cours qu'elle n'aurait sans doute même pas remarqué si les écuries avaient soudain eu des jambes et s'étaient éloignées.

Mais elle entendit quand Charles se mit à crier.

– Rascal! dit-il. Rascal, où es-tu?

Le petit chien avait disparu.

CHAPITRE DIX

– Charles! dit Rosalie en dirigeant Sally vers la barrière qui clôturait le manège. Où est Rascal?

Du haut de son cheval, elle regarda son frère. Charles avait l'air tout petit, et son visage était tout blanc.

– Je… Je ne sais pas, répondit Charles. J'en avais assez de tenir sa laisse et il était plutôt sage. Comme tu étais occupée à prendre ta leçon, Cathy m'a dit que je pouvais l'attacher à la clôture.

Il montra un poteau près du portail.

– Je suis allé voir Maria dans l'autre manège… et maintenant, il n'est plus là!

Rosalie voyait que Charles se sentait terriblement coupable.

– Ce n'est pas ta faute, le rassura-t-elle.

Entre-temps, Cathy avait rejoint Charles.

– Ne t'inquiète pas, lui dit-elle en posant son bras

sur ses épaules. On va le retrouver.

Elle regarda Rosalie et ajouta :

– Je crois que le cours est terminé pour aujourd'hui. Veux-tu que je t'aide à descendre?

– Non, c'est bon, répondit-elle en secouant la tête.

Maintenant, elle savait comment faire. Elle enleva son pied droit de l'étrier et se laissa glisser jusqu'à terre.

– Je ramène Sally à l'écurie, dit Rosalie. Rascal est peut-être là-bas, il avait l'air d'aimer les chevaux.

– Bien, dit Cathy. Tu vérifies dans l'écurie et Charles et moi allons le chercher partout ailleurs.

En conduisant Sally vers l'écurie, Rosalie se dit que, pour une fois, elle aimerait bien entendre Rascal aboyer. Mais le centre équestre semblait être le seul endroit où il se taisait. Si seulement il voulait bien aboyer maintenant, ils pourraient le retrouver!

Rosalie eut besoin de quelques secondes pour s'habituer à la pénombre de l'écurie. Elle emmena Sally à son box.

– Reste ici, dit-elle à la jument. On revient dans une minute pour t'enlever ta selle. Dès que nous aurons retrouvé Rascal!

Elle flatta Sally sur l'encolure et referma bien soigneusement la porte de la stalle. Puis, elle commença à vérifier chaque box de l'écurie au cas où le petit Jack Russel se serait glissé sous une porte pour aller dire un petit bonjour à un cheval. Il n'était ni avec Willie, ni avec Jasper, ni avec Trésor. Minx et Jet étaient seules également.

Rosalie guetta le bruit des ruades de Galahad, mais l'écurie était silencieuse.

– Que se passe-t-il? demanda Maria qui arrivait en courant. Elle portait encore son casque. On vient de me dire que Rascal a disparu!

Rosalie hocha la tête.

– Je regarde dans les box, dit-elle en se hâtant tout d'un coup vers l'autre bout de l'écurie.

Plus tôt, Rascal avait eu l'air de s'intéresser à Galahad. Et s'il était entré dans le box du cheval? Pourquoi Galahad, d'habitude si nerveux, était-il aussi tranquille?

Maria comprit où se dirigeait son amie.

– Oh, non, dit-elle. Tu ne crois pas…

– J'espère que non, répondit Rosalie.

Les deux filles coururent jusqu'à la dernière stalle.

– Vide! s'exclama Rosalie après avoir jeté un œil.

Rascal n'était pas là, mais Galahad non plus!

– Galahad est dehors, dans le paddock, expliqua François qui arrivait derrière les deux amies. Il s'ennuyait tellement que j'ai pensé qu'il avait besoin d'un peu d'exercice et d'herbe fraîche.

– Je me demande si Rascal est avec lui, dit Rosalie.

– Le chien a disparu? demanda François tout en suivant Maria et Rosalie qui se précipitaient dehors et faisaient le tour de l'écurie pour aller au paddock.

Ils arrivèrent à la barrière du paddock en même temps que Charles et Cathy.

– Galahad est bien là, dit Maria en le montrant du doigt.

Le cheval broutait tranquillement à l'ombre d'un grand arbre.

– Et là, c'est Rascal! s'écria Rosalie.

La jeune fille n'en croyait pas ses yeux. Le chiot était allongé à l'ombre, à quelques centimètres des grands sabots de Galahad. Il avait l'air heureux et détendu. C'était la première fois que Rosalie le voyait ainsi!

– Il est épuisé, dit Cathy.

– Mais Galahad risque de lui donner un coup de

pied!

– Ça m'étonnerait, dit François lentement. Galahad a l'air plutôt heureux de l'avoir avec lui.

Rosalie pensa qu'elle ferait quand même mieux de l'appeler.

– Rascal! cria-t-elle.

La seule chose qu'elle avait réussi à apprendre au petit chiot était de venir quand elle l'appelait. Rascal bondit donc sur ses pattes et commença à trotter vers la petite foule massée à la clôture. Sa laisse traînait derrière lui.

Galahad regarda le chiot. Il arracha une autre touffe d'herbe, puis commença à trotter derrière Rascal. Rosalie vit François et Cathy échanger un regard surpris.

Le chien et le cheval arrivèrent ensemble à la barrière. Rascal posa les deux pattes de devant sur la barrière devant Rosalie. Il passa son museau à travers la barrière et la lécha sur la joue quand elle se pencha pour ramasser sa laisse.

Hi! Hi! Hi! Rascal était si content de voir son amie. Il se demanda si elle aussi aimait son nouvel ami! Cet endroit était fabuleux, le meilleur de tous ceux qu'ils avaient vus. Il adorait être ici. Il lécha de nouveau la jeune fille pour la remercier de l'avoir emmené ici.

Pendant ce temps, Galahad touchait doucement avec son nez le manteau de Cathy.

– Est-ce que c'est ça que tu veux? demanda la monitrice en sortant une carotte de sa poche.

Elle lui donna la friandise et le cheval la prit tranquillement. Les oreilles bien droites, il hennit doucement et hocha la tête pour la remercier.

– Ouah, dit Cathy en se tournant vers François. Je ne l'avais pas vu aussi heureux…

– … depuis la disparition de Piment, dit son mari en terminant sa phrase. Pourquoi ne l'avons-nous pas compris plus tôt? Son ami lui manquait, c'est tout! C'est pour ça qu'il était si bougon!

François se pencha pour caresser le Jack Russel.

– Tu es un beau petit chiot, lui dit-il doucement.

Rosalie regarda son frère, l'air interrogateur. Il hocha la tête. Maria avait l'air de comprendre aussi à quoi pensait Rosalie.

– Vas-y, lui murmura Maria.

Rosalie prit une grande inspiration.

– Vous savez, dit-elle à Cathy et François. Rascal a

vraiment l'air très heureux au centre équestre. Il ne sera peut-être jamais très sage dans une maison, mais il se comporte bien quand il a plein d'espace pour courir et beaucoup de choses intéressantes à faire.

Cathy hocha la tête. Rosalie la vit prendre la main de son mari. François regarda Cathy avant de se tourner de nouveau vers le chiot.

– Alors, continua Rosalie, voulez-vous l'adopter?

Elle n'eut même pas besoin d'attendre la réponse. Elle les vit sourire tous les deux alors qu'ils se mettaient à genoux pour flatter Rascal.

Le petit chiot aux mille bêtises avait trouvé une maison, la meilleure maison du monde pour lui.

Tout d'un coup, Rosalie se sentit un peu triste. Rascal leur avait causé beaucoup de soucis, mais elle avait fini par s'attacher à sa mignonne petite face et à ses drôles de manières. Devrait-elle toujours dire au revoir aux chiots dont elle s'occupait? Ou bien est-ce qu'un jour, elle aurait le droit d'en garder un pour toujours? Rosalie espérait que cela arriverait bientôt. Mais pour l'instant, elle se réjouissait d'avoir trouvé le foyer parfait pour ce petit Rascal.

EN SAVOIR PLUS SUR LES CHIOTS

Tous les chiens sont merveilleux, mais tous les chiens ne conviennent pas à toutes les familles. Avant de tomber en amour avec une race particulière, mieux vaut te renseigner sur le caractère et les besoins des chiens de cette race.

Un grand chien athlétique par exemple ne convient pas très bien à des gens qui vivent dans de petits condos en ville. Certaines races s'adaptent bien aux familles avec de jeunes enfants et d'autres s'entendent bien avec les chats. Certains chiens aiment nager, d'autres préfèrent courir. Et pour les personnes qui aiment avoir une maison impeccable, il existe même des chiens qui ne perdent pas leurs poils!

Pour en apprendre plus sur les différentes races, tu peux lire des livres ou consulter l'Internet. Fais-toi aider dans tes recherches par un adulte. Puis discute avec toute ta famille de ce que tu as trouvé avant de décider quelle sorte de chiens vous convient le mieux.

Chères lectrices,
Chers lecteurs,

Je pense que les Jack Russel sont adorables, mais comme Rosalie, je préfère les gros chiens. Mon chien Django (le D est muet, on prononce « Jango ») est un gros labrador noir. Il est très grand, avec de longues pattes et un long corps.

Quand les gens le voient pour la première fois, ils me disent toujours : « Mon Dieu, qu'il est grand! »

Parfois, je me souviens avec nostalgie du temps où Django était un petit chiot qui se roulait en boule sur mes genoux. S'il essayait de grimper sur mes genoux aujourd'hui, il m'écraserait!

J'ai une amie, Annie, qui a deux caniches miniatures et les deux peuvent se blottir sur mes genoux en même temps. Je suppose qu'il y a aussi des bons côtés à avoir de petits chiens...

Et toi, préfères-tu les petits ou les grands chiens? Pourquoi?

Caninement vôtre,
Ellen Miles

À PROPOS DE L'AUTEURE

Ellen Miles vit dans le Vermont aux États-Unis. Elle a écrit d'autres histoires pour la collection *Mission : Adoption*, dont celles qui figurent au début de ce livre. Elle est également l'auteure de *The Pied Piper* et d'autres classiques de Scholastic.

Ellen Miles a toujours aimé les bonnes histoires. Elle aime aussi faire de la bicyclette, skier et jouer avec son chien, Django. Django est un labrador noir qui préfère manger les livres plutôt que les lire.